P'TiT
va
Orianne Lallemand
Éléonore Thuillier
AUZOU éveil

Ce matin,
il y a un nouvel objet dans le jardin.

Mais qu'est-ce que c'est ?

« C'est un beau nid pour les oiseaux, dit Papa.
– Pas du tout ! » dit P'tit Loup.

« C’est une baignoire pour les canards, dit Papa.
– Pas du tout ! » dit P’tit Loup.

« C'est une maison pour la tortue, dit Papa.
– Pas du tout ! » dit P'tit Loup.

« Et toi, est-ce que tu sais ce que c'est ? »
demande Maman.

P'tit Loup réfléchit un moment.

« C'est un chapeau. »
Et il met le pot sur sa tête.

« Pas du tout ! » dit Maman.

« Ce sont tes p'tites toilettes à toi !
Et voici la culotte qui va avec ! »

P'tit Loup est ravi.
Justement, il a une petite envie.

Il s'assoit sur son pot, puis il dit...

« Fermez tous les yeux, s'il vous plaît...
Interdiction de regarder ! »

Toutes les histoires tendres et malicieuses de

Direction générale : Gauthier Auzou – Responsable éditoriale : Maya Saenz
Conception graphique : Alice Nominé – Responsable fabrication : Jean-Christophe Collett – Fabrication : Amandine Durel

Loi n°49-956 du 16 juillet 1949 sur les publications destinées à la jeunesse.
Dépôt légal : mai 2013
Imprimé en Chine